梵宇

伊夫佛屋之緣起地廣由旬世閱八代開山於唐季鼎盛於
皇朝其閒迭興迭廢不恒厥居其廢也把茅蓋頭而不足其興也莊嚴煥儼輪奐甲於寰宇供養備極其隆溯其締造之勤功行之苦則法雨大師實爲法門龍象重以迦陵之遭遇布金長者乃獲自不世出之
人主法界重新金繩永奠雖曰人事蓋有天焉志梵宇

古涌泉禪院亦名法雨寺在九溪十八澗吳越時伏

虎逢禪師卓錫於此錢忠懿王爲之建寺宋理宗嘗幸寺中以祝國泰民安敕改理安明弘治四年六月二十四日寺廢於洪水隤林堙谷滌蕩無餘寺基爲仁和湯氏所有六十年無過而問者萬歷甲午法雨大師仲光掛瓢巖壁閒與蚘虎共處爲蒲龕覆之以蓋拾橡栗以自給獨居者八年嘗掘地至丈餘得柱礎舊趾歷然巖洞中流泉注灑如雨卽法雨泉也旁一泉從地涌出爲涌泉石壁上有大佛字爲佛石巖石甃六方施生臺石塔半座刻涅槃經偈萬歲石牌涌泉龍王石牌凡寺中故蹟皆於榛莽中搜訪而得

之植援激流周以虎落四方叅訪者漸衆辛亥十二
月湯氏感師德化復捨寺基郡人吳之鯨黃汝亨爲
之草疏勸募方伯吳用先寶子偁捐俸錢助之重建
禪堂五楹佛宇僧寮諸廢具舉峰頂有靜明尊者塔
普同塔及寺前後山數百畝（按施生臺石塔石牌暨靜明尊者塔今皆不存兹據法雨大師舊志錄入以備搜考）吳方伯給帖歸之寺中而規模式
廓矣大師祝髮弟子箬菴問禪師得法於磬山天隱
修禪師與玉琳琇國師爲同門兄弟崇禎丙子大師
示寂問禪師歸寺住持提唱宗風學徒雲萃嗣法者
至三十人彬彬乎稱極盛焉繼問禪師住持者天竺

珍禪師鉗椎妙密非眞切叅究期脫生死者不敢親
附海內緇流固有生死理安之目數傳至康熙中歲
久法衰寺亦漸圮寺僧之不法者復乘其衰敝而鬻
寺田常住日益困壬辰歲大侵越鑑徹禪師入城乞
食餓死於萬安橋下訃至京師時迦陵音禪師住持
柏林寺爲位而哭甚哀
世宗憲皇帝龍潛雍邸適幸柏林詢知其故
念理安爲選佛勝場輿願重修以祝延
萬壽
命僧越宗賫帑金至寺中撤其殿材而新之又

命僧成鑑爲置山六百餘畝齋田二百畝鳩工於癸巳落成
於乙未奏聞
聖祖仁皇帝
御賜扁額對聯
命僧性音來主方丈由是琳宮貝宇藻耀山阿永爲
皇家祝釐之地扶萬祀而不傾矣　刑部尙書臣胡會恩

敕
建理安寺膳僧山田記西湖之西有十八磵磵繞山而流凡十八折深曲幽邃爲臨安勝境其上有理安寺明弘治四年遭陽侯之厄片瓦無存至崇禎間法雨大師駐錫於此誅茅結菴獨居數十年有法雨山居詩行世再傳箬菴禪師法公剃度弟子也以磬山衣鉢繼師演教弘其規制始爲叢林梵鐘花雨一時稱盛傳及天竺夢菴宗風大暢凡十方名山無不知有理安寺云夢菴奉

雍親王命來主柏林方丈迦陵音和尙嗣之道行精卓極
見優禮然茲寺年遠圮壞迦陵仰承師志修整未遑康熙五十二年恭遇
皇上六旬大慶維時久道化成羣生樂利京畿外郡所在名刹廣建道場華祝嵩呼洋溢宇內
王念理安爲名宿淵源遂
命郎其勝槩修建一新永奉香燈祝延
萬壽蒙
賜敕建理安寺額並
御書石磬正音四字
龍章爛然山川增色
王又發帑捐金於錢塘秀水兩邑置買山田若干畝以供膳僧之所隨經署藩司事臣呂猶龍飭行知錢塘縣事臣董天眷查明過戶設立城西二圖自運甲令僧俗不相干預毋得指派差徭借端滋擾在案會恩祗奉
王命俾紀其事刻石以示久遠將靈山勝果並垂不朽云康熙五十四年二月日記

謹將梵刹規制備列於左方

御碑亭在九溪橋外乾隆辛未春
聖駕幸理安寺
御製七言律一首恭摹勒石奉安於亭中（詩載恩寵門）
山門一楹有敕建理安寺舊額
彌勒殿五楹有樓恭懸
聖祖仁皇帝御書理安寺額　和碩裕親王對聯
蒲團染就烟霞色
布袋熏成知見香
大雄寶殿三楹舊有微笑堂額
聖祖仁皇帝御題對聯二副
法雨晴飛繞殿香風至
天花晝下交空瑞日懸
勢到嶽邊千峰環秀色
聲歸海上萬水涌洪濤俱奉懸殿柱辛未春
御書樹最勝幢匾額恭懸大殿正中
和碩恒親王題微笑一枝額
多羅淯郡王對聯
香靄橫金風靜拈花去
蓮苞綻玉露寒踏月歸並懸於前楹梁柱（孫義微笑堂詩登堂禮佛餘羣巒薦蔥峭十月杜鵑紅開花代師笑）

禪堂五楹有　和碩顯親王題選佛場開額　多羅湻
郡王對聯
七尺棒頭有句超香象
一彈指下無心攝毒龍
法堂（即宗堂）五楹內供箬菴問禪師以來諸住持香火
和碩誠親王題善獅子吼額又對聯二副
喝下龍蛇林泉受潤終何極
杖頭日月雲漢昭回不記年
香閣搖星簾陰移夜月
碧池涵藻波影映禪關　和碩顯親王對聯

思而知慮而解鬼窟裏作活計縱經三大刦來何曾
見我未生面目
斬不斷割不開牛頷下逞風流猶有一絲毫許爭免
累他鐵鑄心肝
多羅湻郡王題宗風丕振額又對聯
座涌千華天地震
筵開萬指象龍奔分懸於梁柱間法堂之上爲螺月
樓左右有廊房共十楹
藏樓（即螺月樓）五楹恭藏
御賜藏經全部恭懸

聖祖仁皇帝御書石磬正音額

世宗憲皇帝御製對聯

作佛念輕縱然自在還爲妄
度生心切須信慈悲也是貪

松巔閣五楹恭懸

世宗憲皇帝御題來機亦赴額

御製對聯

杖履得回遊子脚
葛藤灰盡老婆心

甲寅松巔閣記迺南磵理安寺文章家紀述甚詳松巔閣自佛石以來即有其名而不知所緣起夢公告余日閣俯層巔據南磵之最勝萬松蕭立法雨泉正注其下登斯閣者咸冷然有遺世之思故陳眉公有老我松巔者煮朮蒸梨之句夢公曾侍師秉拂於此刹久繫懷囑余爲記康熙四十三年甲申余視鹺揚州理安僧衆亦請夢公繼祖席馳書相報曰閣將圮勉余爲之重葺而平湖遜亭高編修亦出資相助是夏閣成夢公徵前約夫松巔閣之勝余熟之耳中而端居凝思每芒然無以應徘徊浹旬始覺有岧嶤崒嵂者蒼然露沒於楮墨之間卒攬之而不得也偶閱釋門雜著云雪天有三種僧上種坐禪中點筆詠詩下則圍爐說食嘗撫其語以期夢公遜亭爲他日遊觀之笑樂然余從

駕再至湖上咫尺不得至南磵今五月織部金公發擬赴弗便道一遊又值詩局事不果因思眉公者世之倖民當其時蒸梨煮朮求敵一下種僧不可得刹以中上之事將寄老茲閣徜徉於其間誠無異說夢也已又思今之僧足跡放浪無所底止以世諦計之三種之中於中下似較易而取安之僧於中下則最難此磬山立宗之本意也夢公過與世遠不闕入場隊世之上夫恒怪其持苦以爲不情余獨見其寒儉若素

上輒心禮之豈方以內外復同具別調也乎夫心之
洽於心者久而不渝則事必有以相契他日登斯閣
其所事事固不出中下之間而遊觀之笑樂或有出
於三者之外則畢世之願備矣世故不得而斬之也
於是乎記　趙韓登理安寺山閣望江詩由來登此
地絕閣幾人攀越嶺當孤寺江聲入萬山供餘猿弄
鉢慈力虎投關歸到湖堤上如聞戒律還　吳之鯨
松巔閣詩窗外高松不凝山泉飛巖竇日瀑淺閣中
晏坐蛙無事聽水看山也不閒　蔣全昌松巔閣詩
巖棲福過清脆筍落香杭磬引問奇客鈴驅盜柿鶯
雲生窗紙潤松落瓦濤平僧蠟吾知得年來耳順盈
蔣黍瀟松閣待月詩山影沿溪與竹烟羃寺深峰高
逗月慢篠壽絡樓陰古壁疑僧面空泉悟佛心憐余
塵夢雜光不照前林　趙之翰雪晴登閣詩石閣多
奇勝扶藜踏凍來雪深埋曲磴松臥掩平臺日映
山容變雲移江色開惟師亭清樂啜茗對瓶梅

方丈三楹有樓在法堂左陳奕禧書額　和碩恒親王
對聯

一句當天朱點窄
全鋒敵勝寶光寒
西方丈即官客堂三楹有樓在法堂右　多羅滇郡王題萬
木森然額懸於樓上又題啐啄同時額懸於堂中
伏虎堂三楹在禪堂左上有樓曰梅萼
法雨堂三楹在禪堂右上有樓曰桂花
庫房五楹有樓在大雄殿左法雨泉亭在其左
經書房五楹有樓在大雄殿右
且住閣五楹下為伽藍堂祀伽藍其中即客堂　昔法雨大
師建一菴於松巔閣後以歸老焉且營其旁為埋骨

之地名曰摩竭提窟且住菴久廢今改建庫樓之左

法雨大師摩竭提窟且住菴銘并序

蓬萊圓禪師云新縫紙被烘來幾一覺安眠到五更聞得上方鐘鼓動又添一日在浮生浮世如漚生水上速起速滅予年過耳順日來月去寒暑迭攻薑辣蔗甘備嘗已徧今倚山阿搆一椽開一壙生可遊死可葬四十餘年青山白雲受用過分緣在則在緣去則去住得一日是一日且住不定之辭也門曰摩竭提窟即掩室義銘曰有住無住無住有住不住有無是眞常住眞常無常眞住無住不住不住且住且住

蔣全昌登摩竭提窟詩鳥窠新搆險挂杖試攀尋松頂雲沾絮江湄日射金探花供指笑過鹿許知音洗出丹崖面平生一片心

徐時泰且住菴詩千仞山腰一室開白雲多處足徘徊間身麋鹿堪爲侶且住何妨拾芋煨

[illegible]登且住閣廢基詩花宮幽絕地攀躋薜蘿高廢圃容泉隱荒臺播石牢夜聲聞竹露晝靜悟松濤安得從茲住春星滿布袍

符夢閣五楹下爲祖堂有和碩履親王面目猶在額

閣向在寺後法雨大師建久廢今改建於經書房之

法雨大師符夢閣記

萬歷庚戌十一月二十六日

右夜予夢入古寺見几上舊書一冊皆予生平所未見詩覽其一絕云蒼天風冷模糊色兩箇道人雪雪立影落蒹葭幾處明迴看江水鉛池黑復巡寺後登山山積雪盤曲而上見一虛室有僧背立不言回顧江水黑如鉛池四山皆白天色模糊雲破日光漏影沙洲心思此境即現詩中覺而紀之也天啟癸亥松巔閣成再夢一僧云此處雖佳更有佳處對曰予老矣他山諒不能往僧即引至此地見江流三折四山環抱喜出非常不信吾山有此奇境遲明攀蘿而上儼如夢寐由是己巳春仲鑿窟開基秋晚閣方草就曠月廿六夜大雪廿七日稍晴與鹿崖登山踏雪及門見一僧背立閣中予趨至閣栖與通問僧忽不見四窗深閉雪擁無蹤鹿崖潸然歎曰何幻乃爾回頭廠江水黑山白日影射沙明滅變換宛過夢中人詩中意也嗟乎廿年前不但無此閣亦未嘗識此地昔夢中詩現詩中境今醒時見即境中詩等一夢幻耳遂題此閣爲符夢云

吳廷簡察泉歌并序壬申冬

初謁佛石大師於符夢閣天半虛懸迥絕人世第苦無水師以法眼察石壁捫而鑿焉土涇石潤漸及泉矣喜爲察泉歌翠削芙蓉千仞壁老僧獨臥藤蘿隙江流昏曉送潮聲饑斫白雲炊怪石毒龍久伏不須禪滿鉢惟應貯翠烟松濤未解道人渴自有山靈獻法泉　〔蔣全昌符夢閣詩〕疾雨鳴春壑橋亭雪浪濺印泥攜雨蠟燃石觀山鵲且住知非住當前要更前江峰迎小閣夙夢契詩緣　〔翟世召上符夢閣詩〕雲際誰當俯落暉罡風扶杖踏層巍潮光夢裏眞同幻僧伴山頭是也非半偈石龕君且住滿江工塑我將歸虎溪一笑還攜手爲約明春筍蕨肥〔翟從上符夢閣詩〕十八橋灣步澗南竹籐爲級夢爲菴鐘憐客午斷茶竈月伴僧孤照石潭四壁掛餘雲笠瘦千峰看去浙江藍松巔煞上光無住且住蓬頭蛾碧嵐

煮雪齋今廢〔卓爾昌煮雪齋詩〕門閉九溪深烟斷火欲絕舉世說餐霞道人方煮雪

掛衲齋今廢〔蔣全昌掛衲齋詩〕石塢三間屋初遊記甲寅峰眞如佛髻樹好盡龍鱗布衲晴雲碎、茶瓢秋露新安禪安不定慚愧未閑身

齋堂九楹在彌勒殿樓上　和碩裕親王題泠淡家風額〔法雨大師齋堂銘〕耕種艱辛搬煮煩苦若不努力修行要見將何抵補不餓便休莫貪滋味纔過三寸喉嚨咲轉即成穢氣盤裏菜蔬碗中粥飯且道從何處來也要口喫腹算東邊浪走西邊閒說閻王打算飯錢不怕甕中走鼈

廚房五楹在伽藍殿後

雜貯寮五楹有樓在庫房後

茶房在庫房後

旦過堂即雲水堂三楹在彌勒殿外

首座寮在法堂右

西堂寮在法堂右

後堂寮在梅萼樓右
堂主寮在梅萼樓右
都監寮在庫房左
監院寮在庫房左
維那寮在桂花樓右
書記寮在法堂右廂
副寺寮在庫房右
知藏寮在書記寮下
藏主寮在書記寮右
知客寮在客堂左

叅頭寮在藏樓右
監收寮在庫房樓上
典座寮在廚房左
值歲寮在旦過堂後
山寮在旦過堂後
浴堂淨所在值歲寮右
青箬菴在寺後今廢〔法雨大師青箬菴詩二首〕青箬爲菴篾縛成懸崖陡絶少人行不將文字求榮望豈是山林博隱名石上蘚痕留舊色案頭松韻有餘清疎慵自覺違時世把發殘陽老一生　小徑盤空蹐亂雲松枝拂面雨溝分萬峰雪色冬春見三浙潮聲曉夕聞戴笠不忘行脚意撫松猶有住山心西窗月下茶烟冷鐘發東岡月吐林〔蔣全昌青箬菴詩〕青箬菴小如笈不蓋瓦但覆葉眞安樂甚

妥帖石崖嵬巖岌業松雜奇芝之豔嶕屏巋墜斷遊屧江海瀾擁眉睫雲霞片兩足躡鉢底龍枕中蝶石龍子能馴協椽可滄菌可拾牽蘿衣披紙破且吟哦畫蹀躞口不言要喋喋手不故耍捻捻道可如一貫捷生千石了百劫

布毛菴在寺左戒監寺退休之地今廢（法雨大師偈戒藝監寺執侍六年一旦辭退欲結茅寺左明袈裟下事予云昔通侍者侍鳥窠亦六載辭往諸方學佛法去鳥窠云若是佛法我亦有少許即拈起布毛一吹豁然大悟遂罷參仍執侍如故今爲汝道若佛法在布毛上鳥窠渾身佛法侍者時時相見何不早早悟去若言一佛法不在布毛上爲甚麼鳥窠一吹便乃悄然若有一偈汝當參去偏云布毛佛法佛法布毛拈來便用不隔絲毫蘆花柳絮春雪飄飄如何不了東走西跑）

誦帚菴在十八澗中今廢（法雨大師偈佛世比丘周利槃陁迦性稟遲鈍念苕帚兩字記前遺後記後遺前苦加功行一日念出苕帚心地豁然澗中一鈍行者今效其法以之名菴偈云誦苕亡帚誦帚亡苕念念不息暮暮朝朝忽然念着瓦解冰消根器分利鈍功夫在勤惰之緊如鑽火火到猪頭爛）

武林理安寺志卷之三

山水

沿西湖之濱由柳洲逹於浴鵠灣爲赤山埠自赤山埠之西歷石屋烟霞踰楊梅嶺而下爲九溪十八磵南通徐村北逹龍井匯南山諸水西南流注於江窈然以深瀏然以淸懸流瀠射鬱撓谿谷環溪澗之側者有螺髻大人獅子八覺諸峰皆幽邃深靚藤竹蔓絡爲屐齒之所不到故自有唐以來湖山之題咏殆徧而茲地闃然無聞焉向非伏虎剏寺於前法雨結廬於後則亦委棄於荒榛密箐中爲獵火之所煋耀

樵唱之所嚮荅而已涌泉院建於吳越自時厥後亦不甚著好事如坡公僅至龍井水樂洞而止一時名僧如參寥輩入山唯恐不深未聞有安禪於此者南宋人始見之品題蓋在畱都臨幸之後也元明之際勝境漸開法雨師與吳郡士交結澹社爲無言之會黃貞父胡休復卓去病仲昌諸君子聞而赴之馮太史開之實來主社由是名流勝賞無不知有理安寺者澗中覽眺之處記錄靡遺則法雨之力居多焉造寺歲久中稍陵夷因迦陵音禪師以逹於

世宗憲皇帝發帑而新作之崇樓傑閣妙相莊嚴與溪山相

輝映皆呈態騁奇於几席之下則夫山川清淑之氣盤礴鬱積之旣久而後洩其菁英歆其靈異沐浴
聖澤肸蠁
皇靈以馴致乎今日之極盛也豈山靈亦有遇不遇哉葢有時數存乎其間矣赤山埠舊有下院久就頹廢石屋嶺梅林菴理安寺所修葺也烟霞嶺點石菴法雨師弟子鹿崖所建菴後卽水樂洞勝遊久著茲不具書自楊梅嶺而下撮其勝概以著於篇

楊梅嶺

在水樂洞西旁通楊梅塢嶺西爲十八澗澗連九溪

東爲滿覺壠多桂〔郭祥正楊梅塢詩〕紅實綴青枝爛熳照前塢不及杏繁時林間有仙虎〔張振孫晚入楊梅塢途中詩〕一徑逶迤探乳竇遠公精舍隱山坳晚烟故白層峰卿秋葉先黃老樹梢隔嶺清鐘行漸近引泉枯竹臥相交禪宮知在長松外指點雲中見鶴巢〔朱彝尊楊梅塢詩〕我行楊梅塢惜是孟夏初是時果未熟但見柯葉舒悤色綠荷飯五月來精廬〔金志章自楊梅塢循九溪十八澗至理安寺詩二首〕青松影裏尋山寺黃葉堆中踏澗泉行過亂峰溪又轉一聲疎磬到門前欲覓心安未得安講鐘初動白雲寒樓頭大好青山色不厭搘頭盡日看

九溪

在烟霞嶺西南通徐村出大江北達龍井〔周文璞九溪十八澗詩〕九溪十八澗冷見帝青苔洗足僧書石臨流客放杯案頭松葉響身畔野花開百六辭歌吹清游始一回〔又再遊九溪詩〕昔遊九溪十八澗今度見之逾清眞靜依落落石路晚閑繞寂寂山家春可憐潺湲似

留客更覺曲折能隨人得得杖藜來盡日野棠山杏亦精神〔張昱九溪詩〕春山縹緲白雲低萬壑爭流下九溪欲溯落花尋曲徑桃源無路草萋萋〔朱彝尊九溪詩〕尋徧十五寺九溪鳴淙淙下無一寸魚上有百尺松緣流思濯足奈此菖蒲茸〔許承祖九溪詩〕謖謖松風步步苔清流淅瀝繞香臺落花何與幽溪事也學愁腸日九廻

九溪橋

在寺門外橫亘溪上其南建

御碑亭〔徐亂翀九溪橋詩〕小橋得得聽澗澗松帶溪風灑面寒應接好山誰共笑瘦藤隨我一枝安〔徐亂翀九溪橋詩〕澗中流水三三曲上有石梁度幽谷客來長嘯入烟蘿時見遠公嗽寒玉

陳秘書監褚玠墓

褚氏家譜云玠字亘璧陳時官祕書監卒葬九溪

十八澗

在龍井山西東出錢塘江〔譚元春遊十八澗贈佛石僧詩〕雨已離三日亂流溪若何僧閒有詩積路誤得幽多柴少虎相送花殘猿未過不攜餘興返留半與山阿〔張祖望十八澗詩〕十八澗邊木葉稀清泉坐啜已忘歸裏蘿更上南峯望江色東來倚翠微〔卓爾昌十八澗詩〕至此遊三屐盡橋廻雨外深山童方拾薺野老未歸林絕澗重三曲懸崖可十尋秋窗清夜坐松月擁寒衾〔楊文驄十八澗詩二首〕雙眼去無主秋溪半是春葉爭花富貴泉敵士清貧氣肅山容古沙明鹿跡新前途松影裏斜日上閑身亂接前林翠微峰送小寒蟲鳴山色淡鼠竄葉聲乾望寺思靈鷲逢僧說懶殘欲從修竹底終日借雲看〔王道焜遊十八澗贈佛石師詩〕古澗無人草正芳到來塵慮淡俱忘六時喃鳥和清梵滿地幽光出戒香茅舍松燈閑自得石泉槐火晝初長高賢十八如相見不羨匡山舊講堂〔僧戒如澗中早行詩〕雞唱曙光分溪行見鹿羣草寒棲玉露衣溼帶朝雲殘月林間落疎鐘嶺外聞山家少人事晨

起亦紛紛聞啟祥雲棲晚歸原擬取道十八澗以多虎有戒心不果詩禪林歸路晚逐伴且兼程殘雪消還在寒潮落更生望烟知郭近畏虎避山行忽忽辠清景還家意未平　嚴繩孫十八澗詩羣山西西來如走馬天風吹人欲爲下匼帀中分一徑深卷起羣山向身瀉忽疑身在屏風牒山勢交關徑迴接有時篸羅幽琴閟碧流環轉白石間誰將荆浩圖中瀑掛向礬頭百尺山此中亦有招提子怪我看山意無已劃然指點匹練開連蜷翦入錢塘水錢塘之水奈爾何郫筒酒盎金叵羅僧寮煮筍截肪白林中御立如人多山門碧樹樵未盡此地何時再當過　宋彝尊十八澗詩暮經南山南曲徑一十八山橋往而復山路坱夯圠夕曛漸催人延首望香刹　許承祖十八澗詩荅徑彎環擁帝青澗中流水碧泠泠四山清響因風急遠送林鐘空外聽

法雨泉

在寺中有亭泉從巖下滴瀝如雨下爲清池可鑑毛髮　翁汝進法雨泉銘法不生滅雨無分別吾師寂然萬象敷說　周雯法雨泉銘仗佛說法傳法藉僧僧之所聚山靈式憑宋建古刹名曰理安香積無水負汲之實難有茲甘泉空巖滴乳傾倒匏尊斛量瓦釜取之不禁用之無竭洒洒洋洋唯然法力大珠小珠不涸不枯供佛陁耶酌之以瓢泠泠寒玉清而不濁浣滌法器塵纓可濯飛空若雨不雷下土給彼僧伽獻之龍女法雨名泉八天永護　馮夢禎法雨泉詩曉爲雲氣夕爲嵐石上泉飛松下菴欹枕欲眠驚未得恍疑秋雨落澄潭　吳之鯨法雨泉詩虛壑瀉清沁涼颸上客衣響疑秋雨細波入野烟微坐與冰心合流將石齒飛深山已共老相賞在知希　戴澳法雨泉詩法雲凝作石法雨澍爲泉日白雲根溼天青雨腳懸寒聲疎梵唄瀋味醉詩禪願借松巔閣晴霄聽雨眠　楊師孔法雨泉詩晴空片雨懸處散蒼烟玉濺雲容碎珠穿松葉圓聽深如有法味淨了無禪泛出天花片隨風落講筵　蔣如奇法雨泉詩幽響流清聽偏宜靜際看當秋韻自遠迸石意逾寒雪蕊甯沾翠晴巖放作瀾于焉識禪味竟日共盤桓　蔣全昌法雨泉詩客到觀空坐枯崖法雨零澆胸勝

酒德含象給茶星魚現金身色龍沈寶劍形箕瓢分一勺楊柳酒餘馨

〔周正儒法雨泉詩二首〕懸崖忽飛雨俯注何涓涓石眼吐列星點點墜鳴璫嗳之列以甘迴眸清且漣中有挂瓢客卓錫傍南泉空鉢貯神龍一勺石壁穿澄然悟性海枕流可長眠尋壑品諸泉多向地中出茲泉有奇脉偏爲石所曬不逐沙眼生不隨洪流溢如珠篩不歇又如髮可櫛應是悟法石懷寶現其七香列沁青蓮凡水胡能匹〔王道焜法雨泉詩〕寒雲入空翠點點散蒼烟湛遠成無漏秋深別有天雨恒迴藏海法已離言詮獨對心逾寂悠然象帝先〔徐時泰法雨泉詩〕點破雲根滴暗泉半規碧甃浸瑶天秋聲是處堪留聽又幻簷鳴到耳邊〔黃允交法雨泉詩〕丹壁洒飛泉散落天花影一滴是醍醐法王曾灌頂〔張遂辰過理安澗中石泉池上詩并序〕理安寺在十八澗嶺岫迴複野竹蜿蜒荒翳殆甚佛石上人初結草閣其間左厓右畔溪水漸滴成池沙寒蒲綠微漣動搖日影漾壁每坐對幽清悄悅無際崖仄吐細泉滴瀝日無已何年成窪潭綠蒲臥爲底其中多龜魚蜥蜴復十許寄託以閑但覺情如水向夕漣漪生蕭蕭竹風起寒色上人衣

驟點洒飛雨歸寢松際菴幽香吹夢裏空山如有逢忽逝不得語〔周叜法雨巖詩〕最愛招提畔孤危石一拳洒空飛法雨劃地滴清泉餘澤分香積靈源接梵天涓涓長不息流出已無邊〔周宣猷遊理安寺且住閣尋法雨池詩〕九溪路盤盤一澗一回抱言尋泉響處更涉雲封道薜蘿手自捫招提境倏造紫閣聳層霄丹梯杳幽討遠色駢諸峰目力窮所到樹抄出烟青海門蒸氣瞞陂凹日沈沈巖呑江灝灝森森萬木屯如建千夫纛我遊及麥秋一杖開晴昊半生世網攖擺脫苦不早且住聊復佳緒險從所好法界雨長飛講壇風細掃窅矣鬱神庥爛然輝

天寶名山富標題禪悅耽枯槁循階俯清池德水澄寸潦深黯隱鱗甲微漪橫荇藻用遺塵壒滌頓息炎雲燠茶瓜況供客相對破煩惱願宿贊公房邀月上瓊島但結靜者緣漫言憂用老

涌泉

在法雨泉側寺舊名涌泉禪院以此著稱歲久淤塞

今方事疏濬（徐堂重濬涌泉記）理安寺舊名涌泉院，一名法雨寺以寺有二泉也今法雨之名著而涌泉反晦詢之老僧莫究其處去秋法雨倜竭土僧勛公經行巖畔見巖根石隙間泉眼涌起纍纍如珠始悟向所謂涌泉者始以是夫遂亟加濬治導其秀脉舊觀頓還法雨泉亦涓涓流不絶矣于是軍持灌佛應器滌僧寺中千餘指飲食庖湢之需利用恒足蔬畦稻田之豐注抑無論矣今年春予游寺中飯罷至泉上乳泉緣巖而下涓涓泠泠若逗秋雨其下青蒲白沙靜鑑眉髮濺涌細流迸洩靈澤二泉交匯源異而功同爾雅云濫泉正出正出涌出也沃泉縣出縣出下出也然則法雨其縣出者耶涌泉其正出者耶乃歎斯泉晦迹數十百年之久一旦知見于時與夫蘊貞儲異湮鬱勿彰知之者徒高其名而莫指其地不知者并没其實而㒷舉其名幸不幸又何如耶予故記以慶斯泉之遭而亦以見長老宏慈願力度越流輩視瓌公之異虎書之跑曇師之神龍撫掌有以異耶無以異耶因并書之以告後之飲斯泉者

螺髻峰

亦名碧螺峰自龍井達烟霞可三里許兩旁悉皆奇石森峭其崒者爲碧螺峰端好如佛頂螺髻正東面西春秋二分日月剛從峰頂出如佛髻放光理安寺面峰而建（法雨大師螺髻峰題詞）覿面一峰儼然螺髻春分秋分風清朗際日出峰尖月亦如是日往月來照天照地劫盡劫初無同無異稽首空王出無佛世（楊式玉螺髻峰詩）維摩宛對天女螺髻一峰靜閑何似雙眉翠掃那須十二烟鬟按錢塘縣志碧螺峰在風篁嶺側獅子峰在天門山月輪峰在五雲山法雨師畧紀形勝不言其去寺之遠近要皆層巒複岫瞻眺所及者今依舊志錄詩數首

迴象峰

在寺東澗邊如象王迴顧耳鼻宛然（法雨大師迴象峰詩二首）六牙

白象高崔嵬瓔珞莊嚴七寶臺靈山一會未曾散願王座向東方來青獅出入娑羅林香象迴觀烟水深誰識游行迴顧處芳草落花無限春

獅子峰

在寺東勢若蹲獅高出羣岫可瞰江滸北望天竺諸峰疊秀如畫堪輿家目爲嘯天獅子楊傑獅子峰詩巖風壯威猛睛雷隱哮吼無心露爪牙百獸自奔走楊維楨獅子峰觀潮詩二首海國梅青瘴雨收繩牀高踞碧獅頭三韓水接天無際白越山窮地欲浮樓閣剛風吹碧蜃旌旗落日照紅鰍行人莫問驪潮事潮落山西淺十洲獅子挐雲涌翠巒我來親拂頂花看隨潮月上樓臺遥度海雲生鐘磬寒蓬島未應三萬隔桑田今有幾回乾大千不究恒沙界細問獼天釋道安法雨大師獅子峰詩踞地盤空久昂頭獨嘯天羣狐不敢過花落碧巖前

白鶴峰

在獅子峰左怪石林立嘗有白鶴巢其上法雨大師白鶴峰題詞白鶴棲山山依白鶴短樹蒙茸巉石磊落林逋豈能收放丁令來看城郭霜天雪後月明誰道揚州快活

八覺峰

峰居寺東南臨澗上有盤石平臺大數十丈昔有仙人對奕於此法雨大師八覺峰題詞人誰無知山何有覺山既有覺無物不覺春日花開秋風葉落依報正報塵塵刹刹通玄滿目心外無法山色溪聲是廣長舌臺高入雲八楞壁立昔有二仙曾坐對奕樵夫至今到此歎息

摩碧峰

在寺西北孤立最高下有暉落塢法雨大師摩碧峰詩羣岫列青螺一峰摩碧漢晴將落日低夏與奇雲亂微猿難到尖高鳥未及半淡墨塗遠天宛然畫中看

月輪峰

在寺東南上有天然井長江三折正當其前梁普覺禪師立道場於此峰後卽六和塔錢思復月輪峰詩普覺遺衣久不傳五雲山色尚蒼然斷崖蘿薜三千丈喬木風霜四百年龍井雨深泉獨響漁村潮滿月初圓寶坊金碧紅塵聚何似茲山更絕緣法雨大師月輪峰詩東南好峰如月盈開窗相見若有情松聲謖謖晚烟澹澗水琤琤秋月明

五雲峰

在寺西南卽五雲山天門山之支阜也岡阜秀絕林巒蔚起沿江盤曲而上凡六里七十二灣石磴千餘級嘗有五色雲籠罩其上南望三浙羣峰可數東觀龕赭兩山大海可掬與月輪峰對峙西北卽雲棲塢法雨大師五雲峰詩峰在寺西南巘絕映江浙常凝五色雲相對一輪月落日海門潮萬里峨眉雪有時快登臨俯仰盡吳越

大人峰

亦名大鵬峰寺之主峰也如大鵬鳥翔佛光中堪輿家目爲飛鳳沖天望之不甚高峻及登其巔則西湖如杯三江如帶諸峰皆在其下矣法雨大師大人峰題詞九峰之中此峰獨秀不奇而大不險而厚登巔一望別開宇宙碧澗清溪環抱左右衆山攢列如長若幼千花巽纛萬

松鬱茂潭有馴龍林無猛獸象王迴顧獅子哮吼如金翅鳥翔集佛後是何覺場竺乾靈鷲應菴華禪師銘大人峰詩螺髻生雲雨鎮踞何春容具此大人相題爲大人峰偉哉天地間萬象同擴充僧越碉咏大人峰詩不偏不倚屹峙空南北諸山列下風忽爾有雲飛一片膚霖三尺落塵中月巖峰禪師大人峰詩百千峰裏一高峰勢不淩人貌自恭坐斷古今無向背晴雲芳樹繞重重

吼獅巖

在溪路邊張山露爪如獅子吼佛石大師吼獅巖詩從來不肯吼一吼吼萬象剖野千絕無踪羣魔皆遠走誰駕白雲來文殊一老叟溪淸草色新春風動楊柳

佛石巖

寺右石壁上有佛字縱横丈許苔蘚欲沒蓋唐宋人舊蹟法雨大師佛石巖詩二首牛頭昔日嘗趺坐四祖無端爲書破豎起空山千萬年猿鳥獻花不敢過不作模棱呈醜怪兀搖不動無遮蓋徑山欲喝不敢喝何用米顛袍笏拜黄毓祁佛石巖詩巖頭一片石石上有佛字欲識山僧名記取此巖是

問虎洞

有客問此處有虎否聲未絕有虎出焉法雨大師問虎洞偈李廣射虎虎原是石此念一動虎從崖出

合掌巖

呼之聲應亦名響巖在迴象峰下法雨大師合掌巖偈兩石排雲人呼答響剎塵皆佛豈不合掌黄毓祁合掌巖詩問此合掌巖胡然而合也恰如佛弟子胡跪白佛者

鹿臥崖

在松芝隴上峭壁數十丈中空可坐五雲三浙在揮

壘間〔法雨大師鹿臥崖題詞〕山半層巖欲墮一洞
僅容人坐崖前三尺雪深白鹿玄雲共臥

羅漢石

〔法雨大師羅漢石詩〕一塊粗沙呆石頭空山冷落幾
春秋明霞已足三時飯密蘚猶當五月裘樵夫牧來
常作伴猿啼虎嘯莫知愁隨他
呼喚不肯應只是與人無所求

先照臺

〔法雨大師先照臺詩〕登臺望海微茫裏日月初
升先照臺一條紅縷貫山海下方城郭猶烟霾

懸鼓巖

〔法雨大師懸鼓巖詩〕西峰落照駕大鼓東海涌
出白玉盤朝作暮息人自老去去來來雙彈丸

鶴澗亭 即今御碑亭

〔許承祖鶴澗亭詩〕夾路林巒一徑通孤亭靜俯水淙
淙鹿馴虎伏獅停吼時有霜禽下碧松〔楊式玉鶴

澗亭詩〕君復孤山寂寂太初荒渚迢
迢舞罷澗邊顧影七峰任意逍遙

猪頭塢

〔楊式玉猪頭塢詩〕祭虎本出八蜡逢師伏
物無爭得食於菟自止至今滿塢春生

武林理安寺志卷之三

武林理安寺志卷之四

田畝

虎林名刹每擅幽巖絶壑之奇而理安尤邃密高僧雲衲飛錫者爰止其地然厥初肇造精藍梵放高閒齋厨岑寂操瓶持盋常困屢空及我朝

聖祖皇帝宏啟福田既頒內府金俾新靈宇復以錢塘秀水膏腴若干畝賚寺于是給園多士擎饌伊蒲香界四

天徧聞金粟大哉

皇仁施洽衆有古今檀捨之隆未或臻於斯極者也故謹條其疆畝錄之如左其他凡所裒益亦附見焉志田畝

山

坐落杭州府錢塘縣城西二圖十八磵地方

騰字二千七百號	石山一十八畝四分八釐三毫
騰字二千七百一號	石山二十四畝六分二釐五毫
騰字二千七百二號	石山二十七畝四分七釐四毫
騰字二千七百四號	石山二十四畝一分零九毫
騰字二千七百五號	石山六畝二分六釐八毫
騰字二千七百十六號	石山五十三畝八分二釐七毫
騰字二千七百十三號	石山四畝正
騰字二千七百十四號	石山十畝一分九釐六毫

騰字二千七百十五號　石山八畝正

騰字二千七百十八號　石山七分一釐

騰字二千七百十九號　石山三十四畝零七釐一毫

騰字二千七百二十號　石山二十五畝三分三釐七毫

騰字二千七百二十一號　石山七畝八分五釐五毫

騰字二千七百二十三號　石山七畝一分四釐四毫

騰字二千七百二十四號　石山十二畝二分

騰字二千七百二十五號　石山二十一畝七分零二毫

騰字二千七百二十六號　石山十七畝八分七釐五毫

騰字二千七百二十七號　石山八畝七分六釐九毫

騰字二千七百二十八號　石山十七畝一分四釐八毫

騰字二千七百二十九號　石山十二畝二分五毫

騰字二千七百三十號　石山七畝三分

騰字二千七百三十一號　石山三十三畝零三釐二毫

騰字二千七百三十二號　石山二十三畝零七釐六毫

騰字二千七百三十三號　石山一畝六分六釐三毫

騰字二千七百三十四號　石山三十四畝二分八釐四毫

騰字二千七百三十五號　石山二十五畝一分七釐五毫

騰字二千七百四十二號　石山六十畝九分三釐八毫

騰字二千七百四十三號　石山十八畝零一釐

騰字二千七百四十四號　石山三十二畝五分七釐三毫
騰字二千七百四十五號　石山八畝零八釐
騰字二千七百四十六號　石山二十畝三分五釐三毫
騰字二千七百四十八號　石山十畝正
騰字二千七百五十一號　石山八畝零八釐
騰字二千七百九十九號　石山十六畝零七釐八毫
騰字二千八百二十七號　石山十三畝一分五釐六毫
騰字二千八百三十號　石山三畝七分二釐四毫二絲
騰字二千八百三十二號　石山五畝六分六釐七毫
騰字二千八百三十三號　石山十三畝九分九釐

騰字二千八百五十七號　石山五十二畝三分三釐八毫
騰字二千八百七十六號　石山十六畝三分八毫
騰字二千八百七十八號　石山六十畝四分三釐八毫
騰字二千八百七十九號　石山二十四畝一分
騰字二千八百八十號　石山三十五畝八分八釐八毫
騰字二千八百八十一號　石山六十二畝一釐五毫
騰字二千八百八十二號　石山十九畝零六釐七毫
同號　石山十五畝八分
騰字二千八百八十三號　石山三十八畝正
騰字三千一百五十七號　石山三畝七分二釐四毫

同號 石山五畝零九釐三毫

同號 石山十畝一分九釐七毫

同號 石山三畝二分

騰字三千一百五十八號 石山四畝七分八釐三毫四絲

騰字三千八百三十一號 石山二十畝六分二釐五毫

體字一千三百零四號 石山九畝四分四釐四毫

坐落徐村地方

騰字一千零九號 石山九十畝九分五釐八毫

傷字八百九十二號 土山一畝五分

傷字一千一十五號 石山三十九畝

傷字一千一百一十號 土山一分零七毫二絲九忽

傷字一千一百一十二號 土山一畝二分

騰字二千七百零三號 土山二畝六分四釐六毫三絲

騰字二千七百十七號 土山二畝七分三釐七毫

騰字二千八百七十五號 土山六畝八分八釐

騰字二千八百七十八號 土山二畝正

騰字二千八百七十九號 土山二十二畝四分四釐七毫

騰字二千八百八十一號 土山一畝九分

羌字三千九百七十四號 土山十九畝六分九釐八毫

體字一千三百五號 土山十畝二分三毫

以上共石土山一千二百六十七畝六分零一毫六絲九忽

內石山五百六十一畝三分六釐一毫二絲係康熙五十一年迦陵音禪師奉　帑金置其餘七百零六畝二分四釐零四絲九忽皆明季以來各住持募檀信所置

田

坐落嘉興府秀水縣伏禮鄉下扇三圖

列字三十三號　田三分八釐

列字三十四號　田一畝二分

列字三十五號　田一畝九分

列字八十三號　田二畝九分五釐

列字八十四號　田一畝九分

列字八十五號　田六畝二分

列字八十六號　田三畝八分

列字一百六十三號　田一畝

列字一百六十四號　田一畝

列字一百九十三號　田三分

列字一百九十四號　田五分

列字一百九十五號　田二分

列字二百零九號　田八分

列字二百三十號　田一畝

原字二百九十號　田一畝九分五釐七毫

原字二百八十九號　田二畝九分六釐二毫

宇字七百五十六號　田五分五釐八毫

宇字七百五十七號　田一畝四分二釐五毫

黃字二十號　田四畝四分二釐四毫

黃字二十一號　田六畝三分一釐七毫

黃字一百九十五號　地七分五釐

黃字二百四十八號　地五分

黃字二百四十九號　田八分

黃字二百五十號　田一畝二分

黃字二百六十四號　田一畝五分

黃字二百七十五號　田三畝四分

黃字二百七十六號　田一畝六分

黃字二百八十一號　田七分

黃字二百八十二號　田一畝

黃字二百八十三號　地三分

辰字八十八號　田一畝零五釐六毫

辰字一百三十三號　田七分九釐四毫

辰字一百三十四號　田六分三釐

辰字一百三十五號　田五分一釐

辰字一百三十六號　田一畝零二釐

辰字一百三十七號　田八分零三毫

辰字一百三十八號　田五分一釐

辰字一百四十二號　田五畝零八釐九毫

辰字一百四十三號　田一畝四分五釐五毫

辰字一百九十五號　田四釐二毫

辰字二百號　田三分一釐

㞙字一百八十五號　田三分四釐四毫

㞙字四百一十六號　田一畝八分零五毫

以上實在田計共六十七畝八分係明季法雨大師

與

國初箬菴禪師置四明戴澳藏閣僧田疏理安寺廢久矣十餘年始有感其異而爲之立精舍者三十年來憑林起棟郎石成基堂殿廚廁畧已完葺顧獨缺一藏經閣師故可以無祖何必有經師故可以正法眼藏作法王行祕書何必有藏經閣然今之勝流高衲至湖上而尋放杖落展之處則必首理安寺且不無夢聽南磵之午鐘魂洗松巔之法雨者知皈嚮師耳知有師因知有理安寺有理安寺自不可無藏經閣至法侶雲集甯當借飯香上古有捨身爲法者各隨願力使藏經有閣飯僧有田其於功德亦遠矣楊師孔募藏閣僧田疏大藏千百億萬言不知藏在何處裂錦泥金潢褚繡墨橫書豎捺左圈右點不知是字跡是眞詮是糟粕試問大師支傘獨坐空山時雪片

堆眉冰花盪胸還有是莊嚴景象還有意放開有意
藏闍還知自家饑寒還知他人饑寒否若還有知境
隨心滅若還無知法自道生道人試爲師下一轉語
藏大藏以醒大千衆生同耀光明畢竟藏無所藏槿
福用以飽大千衆生同滿厭飫畢竟饑無所饑依然
支余獨坐雪堆眉冰盪胸時也由前直是挈得進來
由今直欲放將出去原于師一皂無罣礙也有大善
知識自生懽喜　黎元寬募置齋田疏余昨自長安
邸居炎暑煩苦奔走空乏中心致不樂乃從某聞佛
石上人名則大爽然既而詳其所爲開拓理安寺功
德以枯坐得之視余之勞勞於炎暑煩苦奔走空乏
中而求之者所就倍萬則不獨自失其故而且若有
進焉者矣據此一時一心覺已直透頂宗無復退轉
豈不善哉無何而以督權至浙一官之苦又有浙之
長安矣爾時即不得遂其初闇佛石名而大有開悟
之心然試一往觀以堅其信實其所闇則亦易易也
乃五閻月竟不得往五闕月後往又因闡子將仇聾
之爲之從與非然幾於忘佛石也此可見余之爲善
而不果者余之爲善而不果獨此也哉佛石乃出其
詩若干及理安緣起以相示較昔之闡而爽然而且

若有進焉者更覺親切焉於是余思爲功德于佛石
而佛石則以募建藏經闍并置齋田屬余題餅於是
余慨然任之非此時即能勇於爲善將以志其不果
之悔也予之所當悔者獨此也哉乃發心于五月而
至于十月始弁一言則悔後而又得不果焉夫余之
不果於爲善而悔悔而復得不果者又獨此也哉余
時司竹木則於藏經闇猶力所可支非期乎獨力亦
乘其易勸也大藏非中國有而且玄甖能往鳩摩能
來況已有經而特謀其藏力可衆支而加之以勸豈
有不欣然從事意者人之爲善而果不待於悔或悔
而不終於不果其善心猛力固有出於予上者乎
沈洵齋田碑記蓋自一花拈示獨行心傳異草誕生
聿與人瑞斯岡先民之絕軌全聖之神機不可以巧
力求不可以心知測也故有教無類雜開廣大之門
而得意忘言遂息階梯之徑若其紹述有人津梁攸
濟宏敷至教大庇來茲厥功茂矣能無傳乎然而寶
林勝地兆始發於香流祗樹精藍功寶繇於金布是
以招提異境自有奇因瓶鉢生涯尤資檀施業無微
而不著德有善而必彰固當此垂觀聽永立勞規者
也茲惟佛石大師行潔冰霜德涵江海宗風玄暢遠

蕉嵩少之源詩律清新無異石門之響肇迹錢塘偏
忝名宿年纔髫齔已悟空玄始依雪浪之座響答無
遺繼登紫柏之壇機緣遂契親承密印大闡幽徵得
最上乘開正法眼遂乃振錫南旋浙開殊覓止足於
武林南峰之十八澗一笠相隨隻身遙寄蔭松成盞
耕卓爲茵荊棘中林殉肌膚於猛鷟志動神靈
感均異類蔽遂歲慈被物鳥獸咸馴盛德生輝山林
增蔚大國一開基於雙徑而龍遜其居誌公卓錫於
潛山而鶴移其處以古方今信不詠矣迨至樵採傳
聞野人饒食固已歷盡風霜代遷時序既而緇素景
從始搜榛莽遂平沙爍爰立茅芟初作維摩之室嗣
開禪誦之堂因就高遠古崇基雲擁江流星羅越
甸迴崗復岫之際條爾觀息心了義之徒於焉雲
素禪師厭棄塵囂絕跡市貞心苦節自始至今盞
四十餘年矣爰有秀水林林普濟菴道者周普
年等皈依投誠捐貲作供思悠遠之圖立常住之業
辛勤轉募積累成功或施自縉紳或集從緇侶彼以
捨來此以積受遂得齋僧田若干爲理安下院續有
楊居士等同慈心立社續繼前修捐產助銀復置齋田
若千畝係某都某圖耕耘斯在農安甸服之居道里

非遙歲輸仁者之粟遂使山中習靜終賴安開松下
清齋不需行乞又有秀水縣王明府給之符牒免其
差徭大禪能仁永爲成式猶慮功積而名湮世遠而
義晦用利貞石載此蕪詞庶使善行顯闖令模無替
云爾　順治四年秀水免差徭帖嘉興府秀水縣爲
懇恩照舊優免以安禪修事據理安寺僧普乘呈稱
本寺係歷代諸祖敕立叢林現居宗匠接衲傳流向
蒙本部鄉紳吏部金太僕曹洎諸善信捐貲置買常
住齋會田六十九畝七分六釐坐落柿入都上九冊
立戶辦糧閱歷多年俱經優免照帖石碑可證茲值
熙朝鼎定兩露方新懇乞恩照舊例仍前給帖優免
庶寺無戶役之煩僧安禪誦之業等情前來據此爲
照理安古剎雖隸於武林常住齋田仰給于禾郡第
焚修衲子奚堪當雜泛差徭而萍集禪和似應與殊
恩優異本縣培此福田衆各安心淨業合行給帖付
照爲此帖付本僧收執所有本寺常住齋僧田六十
九畝七分六釐仍舊戶立該圖辦糧其餘里役差徭
照例一體優免永爲遵守須至帖者順治四年七月
十二
日給

坐落嘉興府秀水縣零宿鄉上扇十六圖田號開後

列字六十七號　田一畝九分

列字六十八號　田一畝六分

列字六十九號　田一畝

列字一百六十二號　田一畝

列字二百零九號　田一畝

列字二百四十九號　田四畝一分五毫

列字二百五十號　田四畝一分三釐

黃字八十二號　田三畝三分

黃字一百九十四號　田二畝八分

黃字二百零八號　田三畝三分

黃字二百一十一號　田二畝八分

黃字二百一十二號　田一畝五釐六毫

黃字二百二十號　田一分

黃字二百二十一號　田一分

黃字二百二十二號　田二分

黃字二百二十三號　田八分

黃字二百二十四號　田六分

黃字二百六十二號　田一畝一分八釐

黃字二百六十三號　田二畝一分二釐

黄字二百六十六號　田五畝
黄字二百六十七號　田五畝四分五釐
黄字二百七十一號　田四畝六分
黄字二百七十二號　田二畝六分
辰字一百八十二號　田六分二釐六毫
辰字一百八十三號　田二畝四分七釐七毫
辰字二百三十七號　田八釐四毫
辰字二百三十八號　田一畝五分八釐五毫
辰字二百三十九號　田一畝五分一釐三毫
東南律字五十七號　田一畝三分
東南律字五十八號　田一畝二分
辰字二百五十三號　田三畝正
辰字二百五十四號　田三畝正

以上實在田計共六十六畝二分係康熙年間迦陵音禪師奉帑金置

列字六十七號　田一畝
列字六十八號　田一畝
列字四百四十五號　田四畝
列字四百四十七號　田二畝四分
黄字圩係理安寺下院菴基在二百九十號內　田一分五釐

黄字二百零九號　田一畝零六毫

辰字二百五十五號　田三畝正

辰字二百五十六號　田三畝正

以上田十五畝五分五釐六毫係迦陵禪師爲蘇州府吳縣夢庵禪師塔院所置

坐落杭州府錢塘縣上四鄉田號開後

騰字二千八百八十七號　田四分二釐四毫

食字五百八十一號　田一畝三分

食字五百八十二號　田一畝八分五釐

化字五百二號　田二畝零七釐二毫三絲

被字五百三十六號　田三畝二分五釐

被字五百四十一號　田三畝二分五釐

草字五百七十七號　田一畝一分二釐

草字五百七十八號　田一畝五分二釐

草字五百八十號　田四畝九分七釐二毫五絲

草字五百八十二號　田一畝三分六釐

草字五百八十三號　田三畝九分零六毫四絲

草字五百八十四號　田二畝一分

草字五百八十八號　田一畝七分九釐四毫

草字五百九十號　田一畝九分四釐七毫

草字二六百一十七號　田一分五釐
草字二六百二十號　田二畝三分五釐三毫
方字一千七百零四號　田二畝六分四釐二毫
方字一千七百一十號　田一畝六分七釐五毫
身字七十二號　田一畝二分六毫五絲
身字一百六號　田二畝五分八釐九毫五絲
身字一百一十號　田一畝三分七釐五毫六絲
身字二百三十六號　田二畝零六釐
身字二百三十九號　田六畝四分九釐
身字二百四十號　田二畝五分五釐七毫五絲

身字二百四十一號　田一畝零六釐二毫
身字二百四十二號　田一畝零四釐八毫一絲
身字二百六十九號　田一畝二分三釐五毫
身字五百六十四號　田三畝七分八釐五毫七絲
身字五百九十六號　田三畝七分八釐
身字八百一十二號　田一畝七分七釐二毫
身字九百二十七號　田一畝五分
身字一千二百三十六號　田二畝七分一釐五毫四絲
身字一千二百四十號　田二畝七分九釐一毫三絲
身字一千四百三十八號　田二畝零一釐五毫一絲

身字一千五百七十九號　田一畝六分三釐六毫

身字一千五百八十號　田一畝三分三釐七毫

身字一千六百四十五號　田二畝七分二釐

身字一千六百六十九號　田二分八釐

身字一千六百七十五號　田九分

身字二千二百一十二號　田一畝正

身字二千二百二十八號　田三畝四分九釐三毫一絲

髮字一十三號　田三畝五分三釐

髮字四十二號　田三畝五分二釐五毫六絲

髮字四十四號　田九分八釐九毫七絲

髮字一百七十一號　田一分八釐四毫七絲

髮字一百八十七號　田二畝正

髮字二百二十七號　田六畝九分六釐三毫一絲

髮字二百三十五號　田一畝八分四釐

髮字二百三十六號　田二畝一分四釐六毫三絲

髮字二百四十五號　田三畝六分零二毫一絲

髮字二百四十七號　田二畝二分二釐八毫三絲

髮字二百五十七號　田二畝四分五釐五毫

四字五十五號　田八分七釐八毫四絲

四字四百二號　田三分四釐七毫

四字六百五十五號　田三畝二分六釐八毫

同號　田一釐四毫五絲

四字六百九十九號　田六分零毫六絲

四字七百號　田三分四釐三毫五絲

四字二千六百七十三號　田五分六釐九毫五絲

四字六百八十一號　沙田三分六釐

以上共田一百二十二畝六分九釐八毫五絲係迦陵音禪師康熙五十一年奉帑金置

坐落徐村

傷字一百九十九號　田一畝一分四釐七毫

傷字二百六十一號　田五分一釐七毫

傷字二百八十三號　田五分一毫五絲

傷字三百五十五號　田二畝九分八釐九毫八絲

傷字三百五十七號　田一畝八分一釐五毫

傷字三百五十八號　田五分七釐七毫三絲

傷字三百五十九號　田七分七釐九毫一絲

傷字三百六十號　田一畝七分四釐五絲

傷字三百六十二號　田二分八釐九毫八絲

以上共田一十畝零三分五釐七毫係箬庵問禪師

崇禎十二年置

坐落仁和縣似蘭一圖田號開後

若字七百六十七號　田九分七釐

若字七百零六號　田一分

若字七百六十四號　田二分

若字七百六十五號　田一畝二分九釐

若字七百六十六號　田二畝一分一釐

若字七百六十八號　田一畝三分四釐

若字七百六十三號　田五畝八分三釐

若字七百六十二號　田一畝二分九釐

若字七百六十九號　田二畝零六釐

若字七百七十三號　田五分

若字七百七十號　田一畝一分六釐

若字七百七十四號　田四分九釐

若字七百七十五號　田四分八釐

以上共田一十九畝七分八釐迦陵音禪師康熙五十一年置

坐落二十都廿二圖青石大王廟地方田地涌後

辭字三百零一號　田六分八釐

辭字一千一百四十九號　田七畝六分三釐六毫

言字八百七十號　地一畝四分六釐六毫

辭字一百四十六號　地三畝零八釐

言字二百號　地二分八釐

言字四十九號　地一畝一分六釐九毫

以上共田地一十四畝二分一釐迦陵音禪師康熙五十一年置

坐落蘇州府吳江縣二十一都焉字圩田九畝三分箬菴問禪師順治十五年置又田一畝懶石禪師置理安收息代完眠雲室錢糧

地

騰字四百九十號　地九分三釐四毫八絲二忽

騰字四百九十一號　地一分三釐一毫二絲

騰字二千七百零二號　地六分六釐六毫七絲

騰字二千八百七十九號　地四畝一分二釐

騰字二千八百九十四號　地一畝零七釐九毫六絲

城西一圖

雲字四百六十六號　地八分零二毫

雲字四百六十七號　地二分四釐一毫

雲字四百六十九號　地四分二釐

定北五圖

傷字六百十四號　地一畝九分三釐八毫一絲

下扇四圖

王字四百三十五號　地二分五釐

王字四百四十三號　地一畝九分九釐二毫

王字四百五十二號　地一畝二分一釐五毫

以上共地一十三畝七分九釐零四絲二忽明季以來各住持置

蕩

化字五百七十三號　蕩二釐五毫

化字五百八十七號　蕩八釐

身字一百七號　蕩三分七釐七毫七絲

身字一百九號　蕩二分

身字一百四十二號　蕩二釐

身字二百一十九號　蕩五分

同號　蕩五分

身字二百七十號　蕩一分四釐

身字五百六十三號　蕩一分八釐五毫五絲

身字五百八十四號　蕩三分

身字七百號　蕩一分三釐

身字八百一十號　蕩一分五釐九毫五絲

身字一千二百二十七號　蕩一分八釐

身字一千二百五十七號 蕩二分八釐

身字一千四百二十八號 蕩二分

身字一千四百四十一號 蕩四分六釐八毫五絲

身字一千五百七十五號 蕩三分五釐

身字一千六百四十七號 蕩四分五釐

身字一千七百五十八號 蕩五釐

身字二千二百一十四號 蕩五釐

髮字四十六號 蕩四分八釐

髮字二百號 蕩二分

髮字二百九號 蕩一分九釐

髮字二百二十五號 蕩五分九釐九毫三絲

髮字二百三十一號 蕩一畝七分七釐一毫

髮字二百八十一號 蕩三分

四字六百五十六號 蕩三分六釐七毫五絲

四字六百七十七號 蕩一分九釐七毫

四字七百六十六號 蕩一分五釐

草字四百八十二號 蕩三分

草字四百八十六號 蕩二分三釐二毫

草字五百七十六號 蕩四分七釐七毫

草字五百八十四號 蕩三分

以上共蕩一十畝零二分一釐

康熙五十一年迦陵禪師置

騰字二千七百六號 石山五畝三分九釐六毫

王字四百四十七號 山蕩一畝一分

乾隆二十二年住持寶月置

坐落錢塘縣城西二圖方家塢

騰字二千七百二十一號 石山八畝

騰字二千七百二十二號 石山六畝零五釐七毫

以上共石山一十四畝零五釐七毫乾隆五十九年

住持達川置

完糧數目

錢塘縣條銀三十二兩九錢三分一釐零七絲六忽

逢閏每兩加二分有零

完米一十六石有零八升六合九勺

逢閏每石加一升二合

秀水縣條銀二十一兩四錢六分五釐

逢閏每兩加一分

完米二十二石零一升一合三勺

逢閏加共六斗

仁和縣條銀五兩五錢二分零二絲

無米
吳江縣條錢一兩零五分七釐
逢閏加銀二分
完米一石七斗
逢閏加數升
逢閏之年先於一年加完米數於閏本年加兌銀
數
下院
秀水莊橋普濟菴三楹兩進兩廂崇禎二年法雨大
師置運船一隻康熙五十一年迦陵禪師置

清波門接引菴三楹兩進兩廂康熙三十五年獨超
方禪師置
松木場一枝菴三楹三進兩廂天啟六年法雨大師
置
當事禁約
藩司憲牌
署理浙江等處承宣布政使司事按察使仍帶紀錄
一次呂　為懇
憲賞飭收立僧戶以便輸納事據
具呈
雍親王佛堂僧閱宗呈稱切因杭城理安禪寺僧衆焚修

素守清貧今蒙
王恩發帑差僧置買饍僧山田以作永遠香燈所買山田俱係錢塘秀水二縣賣主零星不一難以交納切聞縣例十年大造方許過戶但僧受
王命不便回覆伏祈
憲臺准飭該縣收歸僧圖則輸納有戶差糧得辦庶僧得以回覆等情具呈到司據此合行轉飭爲此仰縣官吏查照來文事理卽將理安寺佛堂僧閱宗置買該縣地方饍僧山田立卽查明收歸僧圖輸糧仍具文申覆毋違速速須至牌者

右牌仰錢塘縣准此

康熙五十二年十二月廿二日給

牌案　定限卽日繳

杭州府錢塘縣正堂加五級紀錄十二次董　爲懇
憲賞飭收立僧戶等事康熙五十二年十二月奉
署理布政司事按察使仍帶紀錄一次呂　憲牌據
具呈
雍親王佛堂僧閱宗呈稱切因杭城理安禪寺僧衆焚修素守清貧今蒙
王恩發帑差僧置買饍僧山田以作永遠香燈所買山田

王思發捨差僧置買鐘僧山田以作永遠香燈所買山田
素守清貧今崇
維親王佛堂僧開宗呈稱切因杭城理安禪寺僧衆焚修
具呈
署理布政司事按察使仍帶紀錄一次 呂 憲牌據
憲賞飭收立僧戶等事康熙五十二年十二月奉
杭州府錢塘縣正堂加五級紀錄十二次 黃 為悉
牌案　　　　　　　　　　定限印日繳
康熙五十二年十二月廿二日給
　　　　　　　右牌仰錢塘縣准此

理安寺志卷之四　田畝　三三

具文申覆毋違速速須至牌者
買該縣地方牘僧山田立即查明收歸僧圖輸糧仍
縣官吏查照來文事理即將理安寺佛堂僧開宗置
僧得以回覆等情具呈到司據此合行轉飭為此仰
憲臺准飭該縣收歸僧圖則輸納有戶差糧得辦庶
王命不便回覆伏祈
縣例十年大造方許過戶　但僧受
俱係錢塘秀水二縣賣主零星不一難以歸納切聞
王思發捨差僧置買鐘僧山田以作永遠香燈所買山田
素守清貧今崇

俱係錢塘秀水二縣賣主零星不一難以交納切聞
縣例十年大造方許過戶但僧受
王命不便回覆伏祈
憲臺准飭該縣收歸僧圖則輸納有戶差糧得辦庶
僧得以回覆等情具呈到司據此合行轉飭為此仰
縣查照來文事理即將理安寺佛堂僧闕宗置買該
縣地方饍僧山田立即查明收歸僧戶輸糧仍具文
申覆毋違等情到縣奉此合行清查收歸僧戶輸納
為此牌仰該圖里冊即將理安寺所買該里人戶山
田產畝逐則查明毋許隱匿開列原丈細號繕造清

冊二本刻日赴
縣呈繳以憑歸戶纂算條糧立等申覆
藩憲如敢舛錯遲違定行按里差取如遇大造之期
毋得藉例阻捎致干未便速速

呈詞

具呈
雍親王佛堂僧闕宗
呈為懇　臺飭付總歸僧戶畫一辦糧事切有城西
二圖理安禪寺僧衆焚修素守清貧今蒙
王恩發帑差僧建造并置饍僧田產以及承頂下院等項

王恩發落差僧違造并置籍僧田產以及永頂下院等項
二圖理安禪寺僧深恐後來守清貧今業
呈為懇　臺賜付總歸僧戶畫一辦糧事切有城西
雍親王佛堂僧問宗
具呈
呈詞
并得藉佃阻捐致干未便速速
藩憲知政并飭遵違行按里差取如過大造之期
縣呈繳以憑歸戶纂算條糧立等申覆
冊二本刻日赴

田產畝逐則查明并許隣居開列原丈細號豁造清
為此牌仰該圖里冊即將理安寺所買該里人戶山
申覆并遵寺清到縣奉此合行清查收歸僧戶輸納
縣地方錦僧山田立即查明收歸僧戶輸糧仍具文
縣查照來文事理即將理安寺佛堂僧問宗置買該
僧得以回覆等情具呈到司據此合行轉飭為此仰
憲臺准飭該縣收歸僧圖則輸納有戶差糧得辦庶
王命不便回覆伏祈
縣例十年大造方許過戶　但僧受
慎添錢塘秀水二縣賣主零星不一　雖以交納攸關

因零星各處一則難于輸課兼之不便回覆
王命是以上年十二月開具呈
藩司請歸僧戶一總辦糧已蒙送　臺恩蒙轉行各
里造冊查收歸戶在案因前有四十年間本寺用價
契買安吉五圖二甲楊緝賢田五畝遵例投稅未曾
過戶又有長壽五圖上三甲集福寺于上年秋間售
住僧并寺鄰將本寺全戶丁產交項理安承管其糧
課現今理安寺僧承辦理應總歸一處已免催科伏
乞
縣臺勅著城西二圖僧戶該書知照二里冊書并算
房該書將戶下產畝照數開付僧戶實為恩便上呈

批　該圖算書查明推收歸戶仍行知各該里冊
書收除明白可也
牌案
杭州府錢塘縣正堂加五級紀錄十二次董　為懇
臺飭付總歸僧戶畫辦糧事准
雍親王佛堂僧閱宗呈開前事前來據此合行飭書付歸
僧戶除另檄知照外為此牌仰安吉五圖算房長壽五圖冊書速將
本圖二上三甲楊緝賢戶下徵田五畝集福寺全戶人丁田地山蕩照依實在徵糧產
畝撥付與城西二圖理安僧戶一處辦糧毋許隱匿

因零星各處一則難于輸課兼之不便回覆
王命是以上年十二月開具呈
藩司請歸僧戶一總辦糧已蒙　臺恩蒙轉行各
里造冊查收歸戶在案因前有四十年間本寺用價
契買安吉五圖二甲楊瑨質田五畝逐例投稅未曾
過戶又有長壽五圖上三甲集福寺于上年秋間售
任僧并寺將本寺全戶丁產交頂理安承管其糧
課現今理安寺僧承辦理應總歸一處已免催科伏
乞

縣臺轉飭西二圖僧戶該書知照二里冊書并算
戶該書將戶下產畝照數開付僧戶寘為恩便上呈
批
該圖算書查明推收歸戶仍行知各該里冊
書收除明白可也
奉
案
杭州府錢塘縣正堂加五級紀錄十二次董　為
臺飭付總歸僧戶畫一辦糧事准
維報王佛堂僧聞宗呈開前事并前來據此合行飭書付歸
僧戶除另檄知照外為此牌仰長壽安吉五圖算書速將
本圖三甲集福寺全戶人丁田地山蕩楊瑨質戶下徵田五畝照依實在徵糧產
畝撥付與城西一二圖理安僧戶一處辦糧毋許隱匿

開列原丈細號繕造清冊二本刻日赴
縣呈繳以憑查明纂算條糧立等隶冊詳覆
藩憲毋得藉詞故爲捐阻如敢舛錯遲違定行差押
究處不貸
示詞
具呈
雍親王佛堂僧閱宗
呈爲懇　憲給示護佛安僧永垂不朽事情因僧奉
王命置買理安饍產前爲請歸畫一過戶號冊並立僧圖
辦糧等事呈稟

藩憲蒙送
臺下已蒙勅著各里開具細號清冊過戶歸立城西
二圖自運甲寺糧按季全完但僧係弱門誠恐各里
指稱派役差徭滋擾寺僧事未可定伏乞
仁憲賞示飭禁使僧勒石不但僧回覆
王命則緇流孱弱得以清淨焚修而佛地常輝實乃
憲臺栽培之所致也上呈
批　給示
示稿
杭州府錢塘縣正堂加五級紀錄十二次董　爲懇

憲給示護佛安僧永垂不朽事康熙五十三年三月
初二日准
雍親王佛堂僧閣宗呈稱情因僧奉
王命置買理安饍產前爲請歸畫一過戶號冊并立僧圖
辦糧等事呈稟
藩憲蒙送
臺下巳蒙勅著各里開具細號淸冊過戶歸立城西
二圖自運甲寺糧按季全完但僧係弱門誠恐各里
指稱派役差徭滋擾寺僧事未可定伏乞
仁憲賞示飭禁使僧勒石不但僧得回覆
王命則緇流孱弱得以淸淨焚修而佛地常輝實乃栽培
之所致也等情前來據此爲查理安饍產乃
王恩捐帑置買現奉
藩憲飭行勒石在於城西二圖設立自運甲令其完
糧僧俗不相干預便得淸淨焚修誠恐無知里遞指
派差徭名色滋擾有干未便合行示飭爲此仰住僧
知悉嗣後敢有前項借端滋擾者許該住持據實赴
縣指稟以憑詳究不貸

督憲委錢塘縣諭理安打七牌案
錢塘縣正堂加三級王　爲遵　憲整飭等事奉

總督大人那　憲令照得本部院蒞任兩省雖土豪光棍業經密拏治罪其遊方惡僧未經考究是清是混仰縣即請有名誌載古剎誠實禪僧擇壇打七叅禪自十月初三日起共四十九日止晝夜跑香毋得墮玩奉此照查本縣所轄地方雖有誌載古剎然慌唐游移者多惟吾理安寺及雲棲二處實係清淨梵修毫無舛錯今設壇于理安寺打七叅禪仍請該寺方丈整壇督率並傳雲棲寺當家監香一面候大衆遵依到日解赴

大人面諭考究釋教取具不違遵依送查如違嚴譴

速速

武林理安寺志卷之四